Depresión

Depresión

¿Qué es?
Frecuencia y sus causas
Síntomas
Diagnóstico y tipos de depresión
Alivio y tratamiento

Dr. Luis San Molina
Dra. Belén Arranz Martí

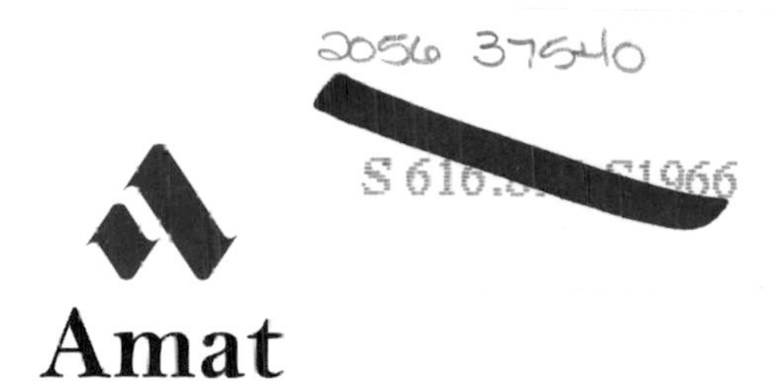

Amat
editorial

Autores: Luis San Molina y Belén Arranz Martí
Director de la colección: Emili Atmetlla

ISBN: 978-84-9735-345-8
Depósito legal: B-8.517-2010
Diseño cubierta: XicArt
Maquetación: www.eximpre.com
Impreso por: Liberduplex
Impreso en España - *Printed in Spain*

Índice

Introducción

Probablemente, el trastorno mental más frecuente en España es la depresión. Además, es una de las primeras causas de discapacidad y conlleva un elevado coste económico y un importante sufrimiento. Los trastornos depresivos interfieren con nuestro funcionamiento cotidiano, y causan dolor y sufrimiento, no solo a los pacientes, sino también a sus familiares y seres queridos. Hasta una tercera parte de los pacientes con depresión no consultan a ningún médico. Esto supone una importante carga de enfermedad para la comunidad. Además, los pacientes con depresión tienen de media 5 días más de baja laboral que los pacientes sin depresión.

Gracias a años de investigación, hoy se sabe que ciertos medicamentos y psicoterapias son eficaces para aliviar la depresión. Desgraciadamente, muchas personas no saben que la depresión es una enfermedad tratable, igual que la diabetes o la hipertensión. Muchos creen erróneamente que la depresión es «normal» en personas mayores, adolescentes, madres primerizas, mujeres menopáusicas o en personas con enfermedades crónicas. La verdad es que la depresión clínica nunca es «normal», no importa la edad o situación vital.

En este libro puede encontrar información útil sobre las causas de la depresión, los síntomas más frecuentes, el diagnóstico y el tratamiento.

1. ¿Qué es la depresión?

Todos nosotros estamos tristes alguna vez. Por ejemplo, tras la ruptura de una relación sentimental o tras la muerte de un ser querido podemos sentirnos enfadados, irritables, tristes, estar más nerviosos de lo habitual, sin ganas de comer, o dormir mal. Generalmente, estos síntomas desaparecen al cabo de unos días y no forman parte de una depresión.

La depresión es la exageración persistente de los sentimientos habituales de tristeza. La depresión es una enfermedad grave, de varias semanas o meses de duración, y que afecta tanto al cuerpo como a la mente. Afecta a la forma en que una persona come y duerme. Afecta a cómo uno se valora a sí mismo (autoestima) y a la forma en que uno piensa. No indica debilidad personal y no es un estado del que uno se puede librar a voluntad.

Las personas que padecen una depresión no pueden decir simplemente «ya basta, me voy a poner bien». La depresión puede aparecer sin ningún desencadenante y puede conllevar un riesgo vital. No hay ningún síntoma que diferencie claramente la depresión de los estados de ánimo bajos, ya que los síntomas son similares en ambos casos, aunque generalmente en la depresión los síntomas son de mayor intensidad y duración.

Si su bajo estado de ánimo afecta a todos los aspectos de su vida, dura más de 2 semanas o le hace pensar en el suicidio, debería buscar ayuda profesional.

Diferencias entre tristeza normal y depresión

Tristeza	Depresión
Hay una causa desencadenante.	Puede no haber desencadentante.
Tristeza proporcional al desencadenante.	Tristeza no proporcional al desencadenante.
Duración de los síntomas proporcional al desencadenante.	Duración prolongada de los síntomas.
Poca alteración del rendimiento.	Importante alteración del rendimiento.
Síntomas físicos escasos o ausentes.	Síntomas físicos importantes.
Los síntomas suelen variar a lo largo del día.	Los síntomas no varían y tienden a empeorar.

El 90% de las depresiones son diagnosticadas y tratadas por el médico de cabecera. El médico de cabecera puede recetarle medicación, aconsejarle sobre la necesidad de que cambie su estilo de vida, ayudarle a manejar la ansiedad y estrés mediante técnicas de relajación, o ayudarle a superar un duelo (reacción que se produce tras el fallecimiento de un ser querido). Por esta razón, **acudir al médico de cabecera no es un signo de debilidad.**

Pero si usted cree que no puede hablar con su doctor, hable con un amigo o familiar. Se sorprenderá de la cantidad de personas que han pasado por una depresión o conocen a alguien que la haya tenido. El podrá ayudarle, aconsejarle o simplemente escucharle.

Puntos clave:

- Entre un 5-10% de la población española presentará un episodio depresivo a lo largo de su vida.
- El 90% de las depresiones son diagnosticadas y tratadas por el médico de cabecera.
- La depresión tiene tratamiento.

2. ¿Es muy frecuente la depresión?

Aproximadamente un 15% de la población española sufre algún tipo de cuadro depresivo a lo largo de su vida, pero menos de una de cada tres personas será diagnosticada y tratada correctamente, ya que únicamente un 40-50% acuden a consulta. En los últimos años ha aumentado el número de personas con depresión. La vida estresante, el elevado porcentaje de divorcios y las largas e intensas jornadas laborales son algunos de los factores que posiblemente han contribuido a este aumento de la depresión.

La depresión suele ser una enfermedad crónica y recurrente. Causa falta de interés e incapacidad para concentrarse en el trabajo.

En general, podemos decir que:

- Una de cada cinco personas adultas sufrirá una depresión a lo largo de su vida.
- La mayoría de las depresiones son leves, pero 1 persona de cada 20 tendrá un episodio moderado o grave.
- La depresión grave afecta a un 3-4% de la población.
- La depresión afecta a todos los grupos de edad, tanto a jóvenes como a ancianos.
- Sin embargo, las mujeres tienen 2 veces más depresiones leves que los hombres, aunque la frecuencia de depresión grave es la misma para ambos sexos.
- En las mujeres, la depresión es más frecuente entre los 35-45 años, mientras que en los hombres, la depresión aumenta con la edad.
- La depresión es menos frecuente en personas casadas que en solteras y es más frecuente en personas residentes en grandes ciudades.

3. ¿Qué causa la depresión

Las preguntas más frecuentemente formuladas por personas con depresión son ¿Por qué a mí? ¿Por qué ahora? Algunas veces existe una causa obvia que ha provocado la depresión, como la pérdida de un ser querido, la pérdida de empleo o una enfermedad física, pero con frecuencia no hay una causa clara. Para complicar más las cosas, no todo el mundo que ha sufrido una pérdida de un ser querido o de un empleo tiene depresión. Algunas personas parecen tener más riesgo de sufrir una depresión que otras, pero en general, cualquiera de nosotros puede tener una depresión.

En general, podemos decir que existen una serie de factores que nos hacen más susceptibles a tener una depresión y otros que pueden aumentar nuestra predisposición a la depresión.

Factores que nos hacen más susceptibles a la depresión

- Genes
- Personalidad
- Familia
- Género
- Estilo de pensamiento
- Enfermedades crónicas
- Problemas económicos

Factores que pueden ocasionar una depresión

- Estrés y sucesos vitales estresantes
- Presencia de una enfermedad física
- Administración de algunos fármacos

La depresión es una enfermedad originada por diversos factores y no debe culpabilizarse de ella a quien la sufre

Factores que nos hacen más susceptibles a la depresión

Genes

Algunos tipos de depresión tienden a afectar a miembros de la misma familia, lo cual sugiere la existencia de un factor genético que se puede heredar. Sin embargo, no todas las personas que tienen una predisposición genética para la depresión van a padecerla. Hay otros factores adicionales que contribuyen a que se desencadene la enfermedad. Es decir, si su padre, madre o hermana han tenido una depresión, usted no va a tener necesariamente una depresión, pero si tiene más riesgo que otra persona sin sus antecedentes. Sin embargo, tendrá el máximo riesgo si su gemelo idéntico tiene depresión.

La importancia de los genes es diferente para los distintos tipos de depresión. Hay una mayor participación genética en la depresión grave que en la leve, en el trastorno bipolar y en la depresión de las personas jóvenes. Pero incluso si en la familia hay antecedentes de depresión, generalmente se necesita un suceso estresante para precipitarla.

Personalidad

No hay una personalidad determinada que predisponga a la depresión, pero las personas obsesivas, rígidas, las que esconden sus sentimientos y las ansiosas pueden tener más riesgo. También, las personas con poca autoestima y que se abruman fácilmente por el estrés están más predispuestas a tener una depresión.

Principales rasgos de personalidad en la depresión

- Afán de orden
- Responsabilidad y honestidad
- Escrupulosidad
- Sentido del deber
- Autoexigencia e intolerancia
- Trabajadores «ejemplares»
- Búsqueda de alto y óptimo rendimiento

Familia

Algunos estudios han demostrado que la pérdida de la madre durante la infancia predispone a la depresión. Sin embargo, más que la pérdida, parece que son las consecuencias psicológicas, sociales y económicas de perder un progenitor lo que influye en la aparición de una depresión.

Género

- *La depresión en la mujer*

La depresión ocurre en la mujer con una frecuencia casi el doble que la del hombre. Hay factores hormonales que podrían contribuir a esta diferencia entre hombres y mujeres, en particular, los cambios del ciclo menstrual, el embarazo, el aborto, el periodo de postparto, la premenopausia y la menopausia.

Esta mayor frecuencia también puede indicar que las mujeres son menos reacias a admitir que tienen una depresión, o bien que los médicos reconocen más fácilmente la depresión en las mujeres. Existen presiones sociales en la mujer que pueden ocasionar una depresión, como las responsabilidades en el cuidado de los niños o padres ancianos.

- *La depresión en el hombre*

El hombre tiende a ser más reacio que la mujer a admitir que tiene depresión, y muestra menos claramente los síntomas de depresión, por lo que el diagnóstico puede ser más difícil. Sin embargo, la tasa de suicidio en el hombre es cuatro veces más alta que en la mujer. La depresión también puede afectar la salud física del hombre. Por ejemplo, se ha demostrado que la depresión se asocia a un riesgo elevado de enfermedad coronaria en ambos sexos, pero el hombre tiene más probabilidad de morir por una enfermedad coronaria asociada a una depresión.

El alcohol y las drogas enmascaran la depresión en el hombre con más frecuencia que en la mujer. El hábito socialmente aceptable de trabajar en exceso también puede enmascarar una depresión. En el hombre no es raro que una depresión se manifieste con irritabilidad, ira y desaliento, en lugar de hacerlo con sentimientos de desesperanza o desamparo. Incluso cuando el hombre se da cuenta de que está deprimido, tiende a buscar menos ayuda que la mujer. Algunas empresas ofrecen programas de salud mental para sus empleados, que pueden ser de gran ayuda para el hombre. Es importante que el hombre deprimido entienda y acepte la idea de que la depresión es una enfermedad real que requiere tratamiento.

Estilo de pensamiento

La mayoría de las personas tiene una forma optimista de pensar que las hace sentirse moderadamente alegres. Las personas con depresión, por el contrario, tienden a minimizar sus éxitos y a recrearse en sus errores; tienen un pensamiento negativo.

Enfermedades crónicas

La discapacidad, la dependencia de los demás y la inseguridad pueden desencadenar una depresión.

Factores que pueden ocasionar una depresión

Estrés y sucesos vitales estresantes

La depresión es más frecuente en los 6 meses posteriores a un suceso estresante, como la muerte del cónyuge o de un ser querido, el divorcio, el matrimonio, la pérdida de empleo, el encarcelamiento o la jubilación. Sin embargo, solo uno de cada 10 casos en los que aparece uno de estos sucesos acaba en depresión, y algunas veces aparece depresión sin que exista ninguno de estos acontecimientos.

La reacción de duelo tras la muerte de un ser querido requiere en algunos casos tratamiento específico, ya que puede ocasionar una depresión.

Enfermedad física

La aparición de una enfermedad física puede provocar sentimientos de baja autoestima y falta de confianza. Por ejemplo, la depresión es frecuente después de un ataque al corazón, quizás porque la persona se da cuenta de su propia mortalidad. En personas mayores, la enfermedad física es la principal causa de depresión.

Otras enfermedades físicas que se acompañan de depresión son la enfermedad de Parkinson, el cáncer, la esclerosis múltiple, los tumores cerebrales, las enfermedades hormonales (hipo o hipertiroidismo, hipercalcemia, enfermedad de Cushing), el abuso de alcohol, las enfermedades víricas y la diabetes. Por esta razón, es aconsejable efectuar una analítica sanguínea general a los pacientes con depresión. La radiografía de tórax, el electrocardiograma, el electroencefalograma o el scanner cerebral se deberán efectuar únicamente ante la sospecha de otra patología.

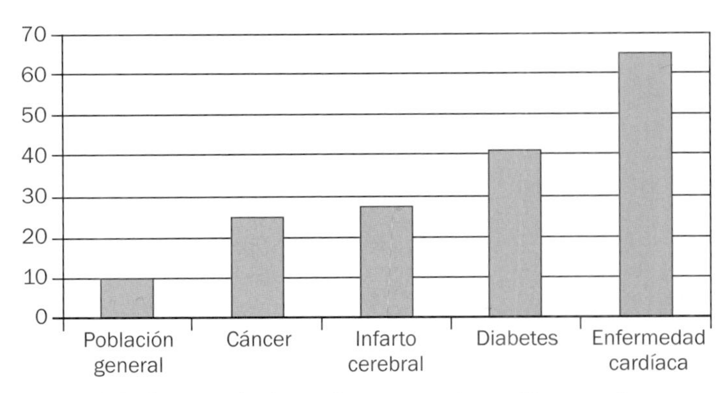

Figura 3.1. *Porcentaje de pacientes con depresión en algunas enfermedades físicas*

Administración de algunos fármacos

Algunos fármacos pueden producir depresión, como los antiepilépticos, anticonceptivos, antiparkinsonianos, digoxina, quimioterápicos, algunos analgésicos, diuréticos, y fármacos para la hipertensión arterial. Sin embargo, nunca deje de tomar esta medicación sin consultar antes con su médico ya que algunas veces dejar la medicación puede ser más peligroso que la depresión. El alcohol y las drogas también pueden producir depresión.

Enfermedades físicas que se pueden acompañar de depresión	
Cáncer	Carcinoma de cabeza de páncreas, principalmente
Endocrinopatías y trastornos metabólicos	Hipertiroidismo Hipotiroidismo Enfermedad de Addison Enfermedad de Cushing Diabetes Hipoglucemia Anemia Síndrome adiposo-genital
Enfermedades autoinmunes	Lupus eritematoso Artritis reumatoide
Infecciones	Víricas (gripe, hepatitis, neumonía virica) Tuberculosis Fiebre tifoidea Mononucleosis infecciosa
Infecciones	Infección por colibacilos Infecciones urogenitales Encefalitis
Intoxicaciones	Medicamentos Plomo Benceno Mercurio Bismuto Quinina Monóxido de Carbono
Trastornos del sistema nervioso	Arterioesclerosis cerebral Parkinson Demencia senil Hidrocefalia normotensiva Lesiones focales de hemisferio no dominante Miastenia Hemorragia subaracnoidea Esclerosis múltiple Afecciones degenerativas

Fármacos que pueden producir una depresión

Antiarrítmicos
Digoxina
Procainamida

Antibióticos/Antifúngicos
Anfotericina B
Clcloserina
Dapsona
Etionamida
Metronidazol
Aureomicina

Anticáncer
Asparaginasa
Interferon
Metotrexato
Procarbacina
Tamoxifeno
Vinblastina

Anticolesterol
Colestiramina
«Estatinas»

Antiepilépticos
Fenobarbital
Vigabatrina
Carbamacepina

Antihipertensivos
Beta bloqueantes
Clonidina
Reserpina

Antiinflamatorios
Indometacina

Antiulcerosos
Cimetidina

Hormonas
Anticonceptivos orales
Corticosteroides
Esteroides anabolizantes
Progesterona

Psicotropos
Barbitúricos
Benzodiazepinas
Estimulantes
Metaqualona

Puntos clave:

- Hay factores que nos hacen más susceptibles a sufrir una depresión, como determinados genes, la personalidad, estilo de pensamiento, el sexo femenino, las enfermedades crónicas y algunas circunstancias de la vida como la situación familiar y los problemas económicos.
- En personas predispuestas, pueden causar una depresión los sucesos estresantes, la aparición de una enfermedad física y la administración de determinados medicamentos.
- La depresión ocasionada por una enfermedad física, por la administración de ciertos fármacos o por el consumo de alcohol o drogas se llama Depresión Secundaria.

4. Síntomas de la depresión

«Ya no disfrutaba de las cosas como antes, y pensé que mis problemas para recordar palabras y nombres tenían que ver con mi edad. Me olvidaba dónde ponía las cosas, y me sentía como aturdida.»

«Después del accidente, no podía trabajar. Estaba preocupado porque no sabía cómo mantener a mi familia. Me irritaba y me enojaba con frecuencia y, a veces, bebía para relajarme. Dormir era difícil, y siempre estaba cansado. Sentía que no podía hacer nada bien y no me sentía bien conmigo mismo. Estaba avergonzado de pensar que necesitaba ayuda.»

La depresión es una enfermedad del cuerpo y de la mente. La mayoría de las personas con depresión tienen síntomas físicos y psicológicos, aunque la forma de presentación y la intensidad de cada uno de estos síntomas puede variar. Algunas personas pueden no referir ningún síntoma, pero se empiezan a comportar de forma inusual.

Síntomas de la depresión

1. Síntomas psicológicos

- Tristeza
- Pérdida de interés en cosas con las que antes se solía disfrutar
- Ansiedad
- Vacío emocional
- Pensamientos negativos
- Problemas de concentración o de memoria
- Delirios
- Alucinaciones
- Ideas de suicidio

2. Síntomas físicos

- Problemas de sueño: Dificultad para conciliar el sueño, despertar precoz o aumento de las horas de sueño.
- Enlentecimiento mental y físico
- Aumento o disminución del apetito
- Aumento o disminución del peso

- Pérdida de interés en el sexo
- Fatiga
- Estreñimiento
- Alteración de la menstruación

Síntomas psicológicos

Tristeza

No todas las personas con depresión se sienten tristes. Algunas se notan más nerviosas, otras se sienten incapaces de expresar sus emociones, y otras presentan síntomas físicos inexplicables o un cambio de comportamiento.

La tristeza en la depresión es mucho más intensa que la que sentimos cuando tenemos algún problema o disgusto. Es un sentimiento persistente de vacío, pérdida y miedo. En las depresiones moderadas o graves, la tristeza suele ser más intensa por la mañana y disminuir ligeramente durante el día, aunque sin desaparecer.

Anhedonia

La anhedonia es la incapacidad para disfrutar de la vida, de las actividades habituales, e incluso de las aficiones. No hay nada que produzca placer.

Algunas personas con depresión son incapaces de experimentar placer y disfrute en ninguna circunstancia, mientras en otras el problema se reduce a aspectos concretos: apetito por la comida, relaciones sexuales o sociales, actividades de ocio, etcétera

Ansiedad

Cuando nos sentimos amenazados, se libera a la sangre una hormona llamada adrenalina que produce un estado de activación y alerta de nuestros músculos y cerebro, preparándolos para reaccionar rápido y huir de la situación de peligro. Si no sucede nada, esta sensación pasa en pocos minutos. Por el contrario, en las personas con depresión esta sensación de alerta puede durar meses y puede ser el síntoma más importante de la depresión.

Vacío emocional

Algunas personas deprimidas se sienten como si no tuvieran emociones. No pueden llorar.

Pensamiento depresivo

Las personas con depresión suelen verlo todo negro. Se culpan a si mismas de sucesos pasados. No reconocen las cosas que han hecho bien. Se olvidan de las cosas buenas que han hecho a lo largo de su vida y las malas son recordadas más de lo habitual. Se centran en los detalles negativos. Por ejemplo, una persona que saca un 8,5 en un examen puede ignorar totalmente la nota y centrarse en los fallos que ha tenido. Estos pensamientos negativos producen preocupación, ansiedad, falta de confianza y de autoestima y refuerzan la depresión.

Pensamiento depresivo

- Pensamientos negativos, por ejemplo, *«soy un fracaso en el trabajo»*.
- Expectativas poco razonables, por ejemplo, *«no puedo ser feliz a menos que guste a todo el mundo y que piensen que hago bien mi trabajo»*.
- Pensamiento erróneo:
  - sacar conclusiones precipitadas

- centrarse en los aspectos negativos de una situación e ignorar los positivos
- sacar conclusiones a partir de un suceso aislado
- llegar a la conclusión de que se es culpable de cosas que no tienen nada que ver con la persona

Problemas de concentración y de memoria

El pensamiento depresivo suele ser tan intenso que impide que la persona piense o se concentre en otras cosas. Estos problemas de concentración también causan indecisión y falta de atención. En personas mayores, estos síntomas pueden confundirse con la demencia.

Delirios y alucinaciones

Delirios

En depresiones graves, el pensamiento puede estar tan distorsionado que se pierde el contacto con la realidad. La mente puede jugarnos malas pasadas y hacernos creer que nos estamos volviendo locos. Un delirio es una creencia falsa e inamovible que aumenta la depresión. Hay muchos tipos de delirios, pero todos ellos reflejan el estado de ánimo y el pensamiento depresivo. Por ejemplo, la persona puede pensar que la policía la está buscando porque ha hecho algo malo. También es frecuente la idea delirante de que está arruinada o que tiene una enfermedad mortal.

Alucinaciones

Mientras los delirios son pensamientos falsos, las alucinaciones son percepciones no reales, generalmente de sonidos. Por ejemplo, algunas personas deprimidas pueden escuchar voces de personas que les hablan cuando en realidad no hay nadie en la habitación. Las voces pueden criticarles, acusarles o amenazarles.

Impulsos suicidas

En una depresión, el pasado se ve malo y lleno de equivocaciones, el presente es horrible y se tiene miedo del futuro. Ante esta perspectiva, algunas personas llegan a pensar que no vale la pena vivir, que los demás estarían mejor sin ellos, que son una carga para los demás. Muchas personas deprimidas piensan en el suicidio, aunque sea de forma pasajera. Otras se acuestan deseando no volverse a despertar y así acabar con la tortura de vivir. El paciente deprimido puede llegar a contemplar el suicidio como la única salida para acabar con su sufrimiento, sin valorar que la depresión tiene tratamiento y es transitoria. La familia del paciente tiene el derecho y el deber de evitar, en la medida de lo posible, que el paciente lleve a cabo sus amenazas de suicidio.

Síntomas físicos

Las personas con depresión suelen referir síntomas físicos que pueden confundirse con una enfermedad física. Ésta es la llamada «depresión enmascarada».

La «depresión enmascarada» es la depresión en la que la queja principal no es la tristeza, sino los síntomas físicos.

Los síntomas físicos más frecuentes de la depresión son:

Problemas de sueño

Los problemas de sueño son frecuentes y en gran medida son los causantes del cansancio que experimentan las personas con depresión. Si usted sufre una depresión moderada-grave puede despertarse de madrugada y no poder volver a conciliar el sueño. También le puede resultar difícil dormirse y puede despertarse varias veces por la noche.

Enlentecimiento mental y físico

El enlentecimiento psicomotor consiste en sentirse cansado la mayor parte del tiempo, encontrando difícil realizar las tareas habituales. Cualquier actividad representa un gran esfuerzo y parece que todo va a cámara lenta. Puede llegar a hablar más despacio de lo habitual y de forma más monótona e incluso moverse más despacio. Algunas veces las funciones corporales también se enlentecen, por ejemplo, notando la boca seca o padeciendo estreñimiento. Algunas mujeres dejan de tener la regla.

Pérdida de apetito

Durante la depresión se puede perder bastante peso. La comida parece poco apetitosa e insípida y no se tiene hambre.

Síntomas físicos diferentes

En lugar de los síntomas físicos de depresión habituales, algunas personas tienen síntomas atípicos, como aumento de sueño, apetito y peso.

Dolor

Una de las quejas físicas más frecuentes de la depresión enmascarada es el dolor. Se trata de un dolor muy inespecífico, con tendencia a cronificarse y que no responde a los tratamientos habituales, aunque sí lo hace al tratamiento con antidepresivos. Afecta preferentemente a la cabeza, espalda, tórax, brazos y piernas. Algunas personas acuden a urgencias refiriendo dolor torácico, pensando que tienen una enfermedad cardíaca, cuando realmente están sufriendo una depresión. En los niños, son típicos los dolores abdominales.

Problemas sexuales

Las personas deprimidas mantienen menos relaciones sexuales. Hay varios motivos: algunas no se sienten capaces de mantener una relación afectiva cuando se sienten vacíos emocionalmente. Otras se sienten tan negativas que no pueden relajarse. Estos aspectos psicológicos pueden ocasionar problemas físicos: los hombres pueden notar dificultades en la erección, y las mujeres pueden notar dolor durante el acto sexual.

La depresión puede interferir en las relaciones de pareja

Síntomas más habituales en los pacientes con depresión

- Apatía/falta de interés/falta de motivación 59%
- Tristeza 58%
- Irritabilidad 14%
- Ansiedad 14%
- Estrés 11%
- Dificultad de concentración 11%
- Miedos/temores 10%
- Insomnio 8%
- Ideas de suicidio 7%
- Sentimiento de culpa 6%

Depresión y ansiedad

Muchas personas con depresión tienen también síntomas de ansiedad. La presencia conjunta de depresión y ansiedad alarga la duración de la enfermedad, ocasiona unos síntomas más graves, y una mayor predisposición al suicidio, altera en mayor medida la vida de la persona y conlleva una dosis de medicación mayor y una peor respuesta al tratamiento.

Existen una serie de síntomas que pueden indicar la presencia de ansiedad.

La ansiedad se puede manifestar mediante:

Síntomas propios de la ansiedad

- Palpitaciones
- Sudoración
- Temblores o sacudidas
- Sequedad de boca

Síntomas en el pecho y abdomen

- Disnea, dificultades para respirar
- Sensación de ahogo
- Dolor o malestar en el pecho
- Náuseas o malestar abdominal

Síntomas relacionados con el estado mental

- Sensación de mareo, inestabilidad o desvanecimientos
- Sensación de que los objetos son irreales o de sentirse «cambiado», «alterado», «lejos» o «fuera» de la situación
- Sensación de «perder el control», «volverse loco» o de muerte inminente
- Miedo a morir

Síntomas generales

- Sofocos o escalofríos
- Sensación de entumecimiento u hormigueo

Síntomas de tensión

- Tensión muscular
- Dolores
- Inquietud y dificultad para relajarse
- Sentimiento de estar «al límite» o bajo presión
- Sensación de «tensión mental»
- Sensación de «nudo en la garganta» o dificultad para tragar

Otros síntomas no específicos

- Alarma exagerada ante pequeñas sorpresas o sobresaltos
- Dificultad para concentrarse o sensación de «tener la mente en blanco»
- Irritabilidad
- Dificultad para conciliar el sueño

La ansiedad puede mejorar con el tratamiento antidepresivo, pero en algunos casos puede ser necesario administrar un fármaco específico para la ansiedad o ansiolítico (véase capítulo 11.Tratamiento).

Depresión y sueño

Alrededor de un 80-90% de las personas con depresión tienen problemas de sueño, especialmente de insomnio. Muchas veces, el insomnio es el primer síntoma de la depresión y en casos de depresiones recurrentes (que se repiten), puede ser el único síntoma que indique que va a aparecer otra depresión.

En general, podemos decir que las personas con depresión no duermen menos horas que las que no tienen depresión, pero sí se despiertan varias veces por la noche o muy pronto por la mañana. El análisis poligráfico del sueño de las personas con depresión muestra una disminución de la latencia del primer ciclo de sueño REM, un aumento de la duración del primer ciclo de sueño REM y una disminución del sueño delta.

Consejos relacionados con los hábitos de sueño para una persona con depresión

- Despiértese cada día a la misma hora y no muy tarde.
- Es recomendable una ducha con agua caliente o hacer algo de ejercicio.
- Por las mañanas, esté en un lugar con luz natural.
- Evite las siestas de más de 20 minutos.

Depresión y suicidio

Aproximadamente un 50% de los pacientes con depresión tienen ideas de suicidio, el 30% intentan suicidarse y el 15% consuman el suicidio. Del millón de suicidios que ocurre cada año según la Organización Mundial de la Salud, el 70% se deben a una depresión, por lo que podrían evitarse si la depresión se diagnostica y trata adecuadamente

Factores de riesgo de suicidio

- Sexo masculino
- Edad avanzada
- Solteros, divorciados o viudos
- Vivir solo
- Escaso soporte social
- Antecedentes familiares de suicidio
- Antecedentes personales de intentos de suicidio o de autolesiones
- Presencia de una enfermedad física crónica, dolorosa, incapacitante o terminal
- Depresión de gravedad intensa, con ideas de suicidio continuas
- Presencia de ideas delirantes (depresión psicótica)
- Abuso de alcohol

La depresión es más frecuente en mujeres que en hombres, aunque su consecuencia más dramática, el suicidio, es más común en hombres

Consejos para el paciente con pensamientos de suicidio:

- Consulte al médico de cabecera, al psiquiatra, o acuda a un servicio de urgencias.
- Mientras dure la situación de riesgo no deje al paciente solo en casa.
- No deje medicación al alcance del paciente. Guárdela en lugar seguro y haga que otra persona le administre la medicación.

Puntos clave:

- La depresión es frecuente.
- Puede tratarse de manera eficaz.
- La tristeza persistente que afecta a todos los aspectos de la vida puede ser una depresión.
- La depresión tiene síntomas psicológicos y físicos.
- Muchas personas con depresión tienen también ansiedad e insomnio.
- Si usted piensa en el suicidio debe buscar ayuda urgente.
- Generalmente existen varias causas para la aparición de una depresión.
- Algunas enfermedades físicas y algunos fármacos causan depresión.

5. ¿Cómo se producen los síntomas de la depresión?

Actualmente, existe la opinión de que la depresión se produce por la interacción entre factores genéticos, neurobiológicos y ambientales, tal como sucede con otras enfermedades como el cáncer, la hipertensión o la diabetes.

Los síntomas depresivos pueden estar causados por la disminución de algunas sustancias químicas del cerebro. El cerebro está formado por billones de células nerviosas. Para realizar cualquier actividad, las células nerviosas deben comunicarse entre sí y transmitir información, y esto lo hacen a través de la liberación de unas sustancias químicas llamadas neurotransmisores. Entre el final de una célula nerviosa y la siguiente célula existe un pequeño espacio llamado sinapsis. La célula nerviosa se comunica con la siguiente célula liberando neurotransmisores a la sinapsis; ésos se unen a la siguiente célula y así pasan la información.

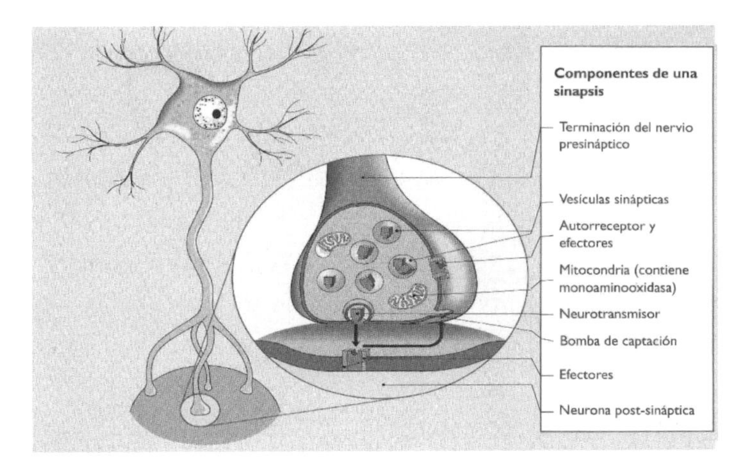

Figura 5.1. *Esquema de una sinapsis cerebral.*

En los casos de depresión hay un déficit de tres neurotransmisores en la sinapsis cerebral y, por tanto, las células cerebrales no pueden transmitir la información. Estos neurotransmisores son dopamina, serotonina y noradrenalina. Los antidepresivos actúan aumentando la cantidad de estos neurotransmisores.

Recientemente, se ha comprobado que también puede existir una alteración genética de las sustancias que transportan estos neurotransmisores. De esta forma, las personas con alteración del gen que codifica la proteína transportadora de serotonina en el cromosoma 17 transportan más moléculas de serotonina que las personas que no tienen esta alteración. Pero, ¿Cómo se relaciona esta alteración biológica con los factores ambientales que hemos mencionado antes? Pues bien, se ha demostrado que las personas con esta alteración genética son más vulnerables a la adversidad y tienen mayor predisposición a tener una depresión cuando sufren sucesos vitales negativos que las personas sin la alteración. De alguna forma, es como si la ausencia de esta alteración genética nos protegiera de la depresión.

Las hormonas del estrés

Cuando nos sentimos estresados se libera en nuestro cuerpo una gran cantidad de hormonas: primero el cerebro segrega una hormona, el factor liberador de corticotropina (CRF), que estimula la liberación de otra hormona cerebral, la hormona adenocorticotropa (ACTH). Esta hormona viaja a través de la sangre hasta llegar a unas glándulas situadas encima de los riñones, las suprarrenales, donde se produce la liberación de cortisol.

El cortisol, la ACTH y el CRF trabajan junto a la adrenalina, nos hacen sentir ansiosos, con miedo, y preparan al organismo para enfrentarse al estrés. En la mayoría de las personas, estas hormonas vuelven a los niveles de normalidad cuando desaparece el estrés, pero en los casos de depresión este sistema está hiperactivado y no regresa a la normalidad. En personas sanas, el cortisol suele liberarse en grandes cantidades por la mañana y en menores cantidades a lo largo del día, mientras que en algunas personas deprimidas la liberación de cortisol es menor y se mantiene constante durante el día.

La determinación de la cantidad de cortisol en el cuerpo constituye un test de depresión, pero esta prueba solo es positiva en 3 de cada 10 personas deprimidas. Suele ser positiva en las depresiones graves con muchos síntomas físicos.

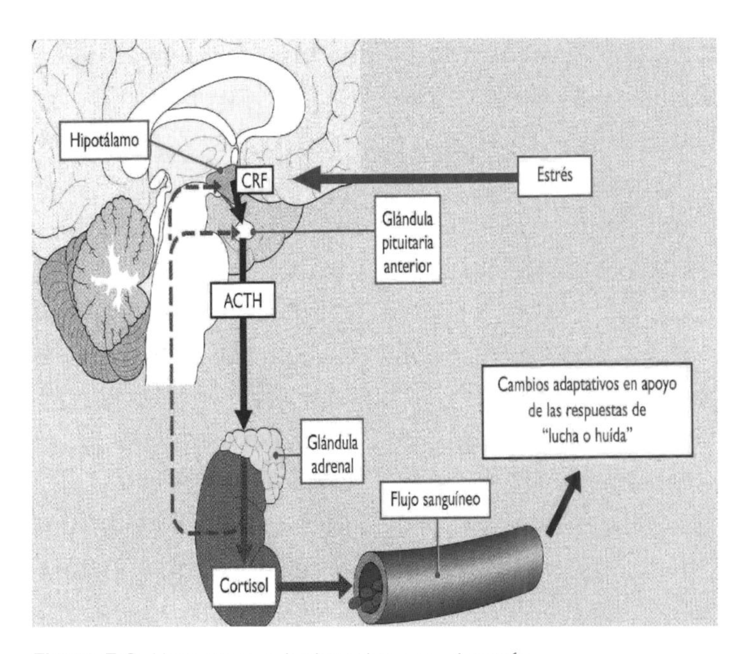

Figura 5.2. *Hormonas relacionadas con el estrés.*

6. ¿Cómo se diagnostica la depresión?

El diagnóstico de la depresión debe realizarlo el médico de cabecera, en el caso de las depresiones leves y moderadas, o el psiquiatra en el caso de las depresiones graves y con síntomas psicóticos.

Si bien es cierto que en los pacientes que sufren depresión existe una alteración de los neurotransmisores cerebrales, no existe ninguna prueba biológica que confirme de forma fiable el diagnóstico de depresión. Por esta razón, el diagnóstico se basa en el criterio clínico, es decir, en el análisis de toda la información aportada por el paciente y sus familiares, en los síntomas del paciente y en la exploración del paciente por parte del médico.

El **diagnóstico de la depresión** se basa en:

1. La información aportada por el paciente y sus familiares
2. Los síntomas del paciente
3. La exploración del paciente

7. Tipos de depresión

Existen diferentes tipos de depresión, aunque las depresiones de poca gravedad son las más frecuentes.

- **Depresión reactiva:** los síntomas suelen ser una respuesta a una situación estresante, como, por ejemplo, ser despedido del trabajo. Suele ser de intensidad leve o moderada y no dura mucho tiempo. En muchas ocasiones, no necesita tratamiento farmacológico, sino sólo apoyo emocional. Sin embargo, un factor estresante puede ocasionar una depresión grave en las personas con predisposición a padecerla.

- **Depresión endógena, también llamada unipolar:** los síntomas no aparecen tras una situación estresante y suelen interferir con la capacidad de trabajar, estudiar, dormir, comer y disfrutar de actividades que antes eran placenteras. Puede ocurrir una vez en la vida, pero por lo general ocurre varias veces en el curso de la misma Suele ser de intensidad moderada o grave y siempre requiere tratamiento antidepresivo.

- **Distimia:** es un tipo de depresión menos grave. Incluye síntomas crónicos (a largo plazo) que no incapacitan tanto, pero que sin embargo interfieren con el funcionamiento y el bienestar de la persona. Muchas personas con distimia también pueden padecer episodios depresivos graves en algún momento de su vida.

- **Trastorno bipolar, antes llamado enfermedad maníaco-depresiva:** no es tan frecuente como los otros trastornos depresivos. Se caracteriza por cambios en el estado de ánimo, con fases de ánimo elevado o eufórico (manía) y fases de ánimo bajo (depresión).

- **Trastorno afectivo estacional:** es la depresión que ocurre en la misma temporada del año, por lo general durante los meses de otoño o invierno.

- **Depresión primaria:** no está ocasionada por una enfermedad física o psiquiátrica, por el consumo de una sustancia o por la administración de un medicamento.

- **Depresión secundaria:** ocasionada por una enfermedad física o psiquiátrica, por el consumo de una droga o por la administración de un medicamento.
- **Depresión psicótica:** además de los síntomas habituales de depresión, existen síntomas psicóticos, como delirios y alucinaciones

Si usted cree que tiene depresión, consulte a su médico de cabecera o a su psiquiatra. Estos le informarán sobre el tipo de depresión que tiene y sobre el mejor tratamiento para usted.

8. ¿Cómo puedo aliviar mi depresión?

La depresión hace que uno se sienta exhausto, inútil, desesperanzado y desamparado. Estas maneras negativas de pensar y sentir hacen que las personas quieran darse por vencidas. Es importante ser consciente de que las maneras negativas de ver las cosas son parte de la depresión. Estos pensamientos negativos desaparecen cuando el tratamiento empieza a hacer efecto. Mientras tanto, puede seguir estos consejos:

Consulte a su médico

Si usted cree que tiene algunos de los síntomas de la depresión, debería consultar a su médico de cabecera. Éste podrá decirle si usted verdaderamente tiene depresión, y recetarle tratamiento antidepresivo en caso necesario. El médico de cabecera le visitará regularmente para comprobar la mejoría de su depresión, para ajustar la dosis del antidepresivo o para modificar el tratamiento. Tras unos meses de tratamiento, el médico de cabecera le dirá como tiene que suspender la medicación. En caso necesario, también le puede derivar al psiquiatra.

Con medicación, su estado de ánimo mejorará, pero de forma gradual, no radicalmente de un día para otro.

Prepárese para los cambios

En muchos casos, la depresión suele aparecer después de algún tipo de pérdida en nuestra vida. Por esta razón, en ocasiones es posible iniciar algún tipo de preparación antes de que se produzca el cambio en su vida. Por ejemplo, algunos de los sucesos previsibles típicos que pueden desencadenar una depresión son la pérdida de libertad o de estatus profesional cuando la mujer tiene un hijo y la pérdida de rutina y de contacto social tras la jubilación.

Hay dos formas de disminuir el estrés de los cambios previsibles:

Reconocer que va a producirse un cambio en su vida. Se sentirá mejor si reconoce abiertamente sus sentimientos. Si el cambio que se va a producir le preocupa, hable de ello con sus amigos. Eso hará que ellos le apoyen, y en ocasiones le traten de forma diferente. Por ejemplo, si usted está preocupado por su próxima jubilación, sus amigos dejarán de decirle que debería estar contento de dejar de trabajar, y es posible que pasen más tiempo con usted hasta que se haya adaptado a su nueva situación.

Estar preparado para afrontarlo.
Es aconsejable informarse sobre el cambio que se va a producir en su vida, o bien hablar con personas que hayan pasado por una experiencia similar. También es recomendable planificar los primeros días o semanas posteriores al cambio. Por ejemplo, si va a estudiar a una universidad que se encuentra lejos de casa, puede serle útil contactar antes con algún conocido que resida en la nueva ciudad; si va a jubilarse puede organizar las primeras semanas de su nuevo estatus ocupándolo con una serie de actividades y contactos sociales.

Desconecte

Si se siente bajo de ánimos, intente desconectar de alguna forma, por ejemplo, tomándose un día libre, saliendo a cenar o tomándose unos días de vacaciones. Seguramente percibirá que sus problemas no son tan graves como pensaba y tendrá más ánimos para solucionarlos. Si no puede desconectar, esto es un síntoma de que necesita ayuda profesional.

Hable de sus problemas

Si comenta sus problemas con su pareja, familia o amigos, notará que se siente mejor. Hablar de los problemas personales con alguien de confianza suele tranquilizar y ayuda a encontrar una solución. Sus amigos pueden tener su opinión sobre lo que tiene que hacer y pueden sugerirle soluciones en las que no había pensado. Pueden haber pasado por lo mismo y, por tanto, pueden aconsejarle. Generalmente nos sentimos mejor después de desahogarnos y de reconocer nuestros problemas.

Muchas personas deprimidas sienten que son una carga para los demás. Esto les hace estar todavía más deprimidos. Intente buscar un amigo comprensivo y dispuesto a escucharle y a ayudarle a superar esta mala racha. Todos necesitamos ayuda en algún momento.

Haga algo de ejercicio

El ejercicio puede aumentar su bienestar: no solamente le hará sentirse mejor psicológicamente, sino que también le obliga a salir de casa. No hace falta apuntarse a un gimnasio, salir a dar un paseo o a nadar también sirve. Si hace tiempo que no hace ejercicio, tanga cuidado y empiece poco a poco.

Cuando se está bajo de ánimo es difícil motivarse para hacer ejercicio. Por esta razón, apuntarse a un programa de ejercicios estructurado y supervisado suele ser la mejor forma de asegurar que hace lo suficiente pero no demasiado, y que lo hace de forma continuada.

Cuídese todo lo que pueda

Realice actividades.

Hacer cosas suele ayudar. Es aconsejable iniciar alguna actividad o afición por las tardes o el fin de semana. Le hará bien salir de casa y conocer gente nueva, porque romperá el círculo vicioso de soledad y de pasarse el tiempo dándole vueltas a los mismos problemas. Esfuércese en hacer lo que le gusta, como escuchar música, ir de tiendas, al cine, a un concierto o a la peluquería.

Cuide la alimentación.

Aunque no tenga mucho apetito, asegúrese de comer de forma regular. Si se siente incapaz de comer con normalidad, tome un tentempié, o bien solicite a su farmacéutico preparados nutritivos en forma líquida. Si no come adecuadamente, no tendrá la fuerza física necesaria para poder mejorar y su depresión empeorará

Modere el consumo de alcohol.
Recuerde que el alcohol no soluciona sus problemas. Le hará sentirse más deprimido y podría convertirse en un hábito que arruine su vida. El alcohol puede aumentar los impulsos suicidas. También puede interferir con los antidepresivos que esté tomando.

Regule las horas de sueño.
Las personas deprimidas suelen tener problemas de insomnio. La falta de sueño impide tener la energía necesaria para superar la depresión. Si su depresión es moderada-grave, puede necesitar medicación para el insomnio.

No trate de asumir excesivas responsabilidades

Fíjese metas realistas, establezca prioridades y haga lo que pueda cuando pueda.

No tome decisiones importantes

Es aconsejable que evite tomar decisiones importantes hasta que la depresión mejore. Antes de hacer cambios importantes, como cambiar de trabajo, casarse o divorciarse, consulte con personas que le conozcan bien y tengan una visión más objetiva de la situación que usted.

¿Que puedo hacer para aliviar la depresión?

- Consultar a mi médico
- Reconocer que va a haber un cambio en mi vida y prepararme para afrontarlo
- Desconectar
- Hablar de mis problemas
- Hacer ejercicio
- Regular mis hábitos: alimentación, horas de sueño, consumo de alcohol
- No sentirme culpable de la depresión
- No tomar decisiones importantes
- No asumir excesivas responsabilidades

Puntos clave:

- Hay varias cosas que se pueden hacer para aliviar la depresión: desconectar de los problemas, hablar con alguien de confianza, hacer algo de ejercicio y regular los hábitos.
- Cuando la depresión responde al tratamiento, los pensamientos negativos desaparecerán y serán reemplazados por pensamientos positivos.

9. ¿Cómo pueden ayudar los familiares y amigos a la persona con depresión?

Ayuda de familirares y amigos

Lo más importante que se puede hacer por una persona con depresión es **ayudarle a que reciba un diagnóstico y tratamiento adecuados**. Tal vez esto implique aconsejar al paciente que mantenga el tratamiento no solo en la fase inicial sino incluso cuando los síntomas mejoren (varias semanas). En ocasiones, el familiar o amigo solicitará una cita con el médico y acompañará a la persona deprimida a la consulta. A veces, es necesario asegurarse de que la persona está tomando el medicamento correctamente, es decir, ni más ni menos cantidad que la prescrita por el médico.

El **apoyo emocional** a la persona deprimida es muy importante. Esto implica comprensión, paciencia, afecto y estímulo. Busque la forma de conversar con la persona deprimida y escúchela con atención. No minimice los sentimientos que el paciente expresa, pero señale la realidad de los mismos y ofrezca esperanza. No ignore los comentarios o alusiones a la muerte o al suicidio. Invite a la persona deprimida a caminar, pasear, ir al cine y a otras actividades. Persista con delicadeza si la invitación es rechazada. Intente que el paciente participe en actividades que antes le gustaban, como pasatiempos, deportes, actividades religiosas o culturales, pero no le fuerce a hacer demasiadas cosas ni demasiado pronto. La persona deprimida necesita diversión y compañía pero demasiadas exigencias pueden aumentar sus sentimientos de fracaso.

Puntos clave:

- Es muy importante dar apoyo emocional a la persona con depresión.
- No acuse a la persona deprimida de simular una enfermedad, ni de «no poner nada de su parte». Tampoco espere que salga de esa situación de un día para otro.

10. ¿Dónde se puede obtener ayuda?

Lo más aconsejable es acudir al médico de familia. Este valorará la situación y determinará si es necesaria la derivación a un médico especialista en salud mental (psiquiatra).

En situaciones de verdadera urgencia, el psiquiatra de los servicios de urgencia psiquiátricas de los hospitales también podrá atenderle.

Puntos clave:

- El médico de cabecera le indicará si usted debe acudir al psiquiatra.
- Usted puede obtener ayuda en ambulatorios, consultorios de psiquiatría o en servicios de urgencia de hospitales, cuando ello sea necesario.

11. Tratamiento de la depresión

El tratamiento de la depresión debe tener en cuenta tres objetivos:

1. Alivio de los síntomas agudos
2. Reestablecer el funcionamiento habitual de la persona
3. Alcanzar la recuperación total y evitar recaídas o recurrencias

Sin el tratamiento adecuado, los síntomas pueden durar semanas, meses e incluso años.

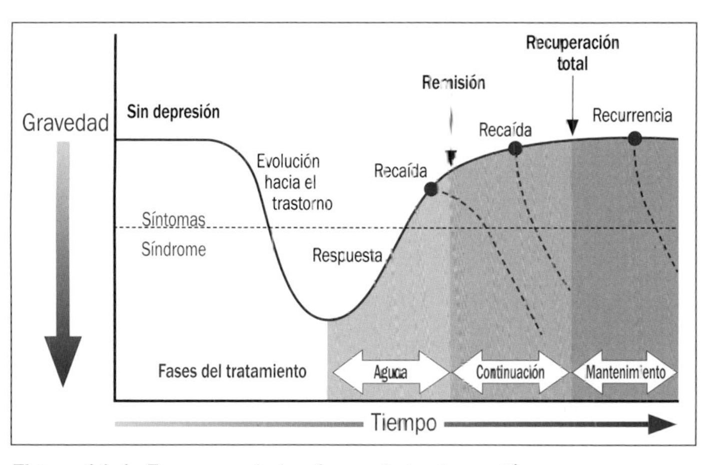

Figura 11.1. *Esquema de las fases de la depresión.*

- La **recaída** es la reaparición de los síntomas tras un periodo asintomático.
- La **recurrencia** es la aparición de un nuevo episodio en un paciente que se encontraba en recuperación.

Tipos de tratamiento para la depresión

1. Tratamiento Farmacológico: Medicación
2. Tratamiento Psicológico
3. Otros tratamientos

Tratamiento farmacológico: medicación

«Aunque al principio fue difícil hablar con alguien al que no conocía, mi médico me escuchó y entendió mi situación. Me inspiró confianza, de modo que cuando sugirió que probara un medicamento para ayudarme a dormir, sentirme menos cansado y menos inquieto, pensé que debía hacerlo. Al cabo de un mes, sentí esperanza de nuevo. Me siento como antes y mi familia está aliviada y contenta con los resultados del tratamiento.»

Afortunadamente existe un tratamiento farmacológico muy eficaz para la depresión: los fármacos antidepresivos. Contrariamente a la opinión de muchas personas, estos fármacos no son una droga, no crean dependencia ni anulan la personalidad. Cuando se toman de la forma y a las dosis prescritas por el médico suelen mejorar los síntomas de la depresión en dos semanas, aunque pueden tardar hasta 6 semanas para conseguir el máximo efecto. Se ha demostrado que entre un 30-60% de las personas con depresión no toman el tratamiento tal como se les ha prescrito.

¿Como funcionan los antidepresivos?

Cuando sufrimos una depresión nuestro cuerpo funciona de otra manera y los antidepresivos hacen que todo vuelva a funcionar normalmente. Tal como veíamos anteriormente, las células nerviosas están separadas por un espacio, la sinapsis. Para comunicarse y pasar información de una célula a otra, las células nerviosas liberan unas sustancias químicas o unos neurotransmisores, que dejan una célula, atraviesan la sinapsis y llegan a la otra célula. La información solo pasa de una célula a otra si existe el necesario neurotransmisor.

En la depresión hay poca cantidad de neurotransmisor. Los antidepresivos aumentan la cantidad de neurotransmisor en el espacio entre las células. Esto se puede hacer de varias formas:

- Aumentando la cantidad de neurotransmisor que se produce (triptófano)

- Evitando que el neurotransmisor se destruya (inhibidores de la monoaminooxidasa o IMAOs)
- Evitando que el neurotransmisor de la sinapsis sea captado de nuevo por la célula (antidepresivos tricíclicos, inhibidores de la recaptación de la serotonina o ISRS)
- Resincronizando los ritmos biológicos alterados.

Con el tiempo, la cantidad de neurotransmisor producido en las células nerviosas aumenta, el cuerpo vuelve a funcionar normalmente y ya no se necesitan los antidepresivos.

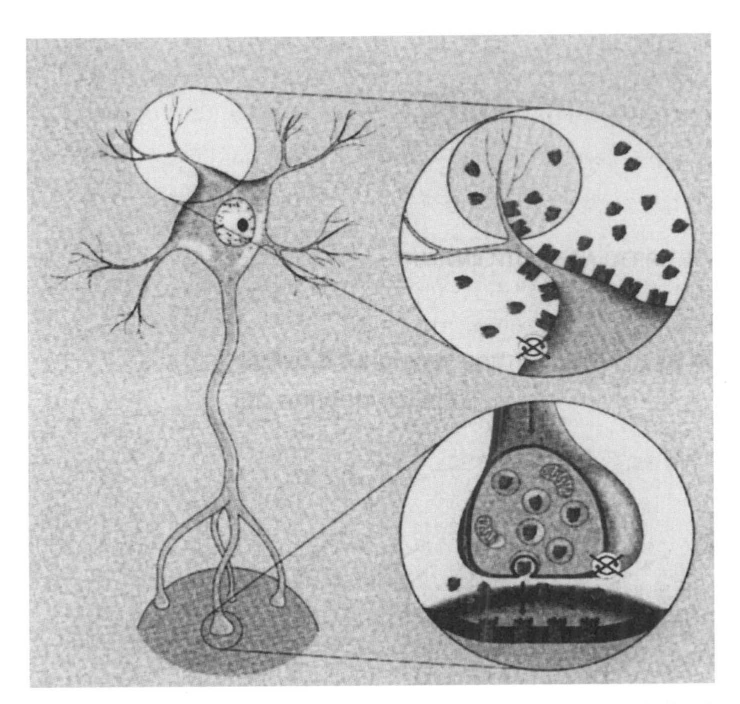

Figura 11.2. *El antidepresivo evita que el neurotransmisor de la sinapsis sea captado de nuevo por la neurona.*

Prescripción de antidepresivos

Es posible que las personas con una depresión leve no necesiten tratamiento antidepresivo. Por el contrario, si presentan una depresión moderada probablemente necesitarán un antidepresivo y en caso de depresión grave seguro que lo necesitarán.

La medicación debe ser prescrita por un médico de cabecera o por un psiquiatra como parte de una terapia que también puede incluir psicoterapia y técnicas de auto-ayuda. Si tiene dudas sobre la toma de medicación o sobre el tratamiento prescrito, consulte a su médico. Algunos síntomas como el despertar precoz, una mayor tristeza por la mañana, la pérdida de peso y de apetito y la pérdida de interés en actividades, pueden indicar que la depresión va a responder a antidepresivos.

Algunos problemas físicos, como los problemas de corazón, pueden influir en el antidepresivo a prescribir. Acuérdese de comentar a su médico todos los problemas físicos que usted tenga para que pueda recetarle el mejor antidepresivo para su caso. Los antidepresivos más nuevos no suelen prescribirse a las mujeres embarazadas o en período de lactancia hasta que haya evidencia de que no son perjudiciales para el bebe.

Los antidepresivos funcionan mejor si se toman a las dosis son las correctas. Las dosis bajas no son tan efectivas y pueden producir efectos secundarios sin ningún beneficio en la desaparición de los síntomas.

Por lo general, hay que tomar antidepresivos hasta 6 meses después de que la depresión haya desaparecido, para estar seguros de que no vuelve a aparecer. Los médicos suelen prescribir antidepresivos durante 1 año en los casos de primeras depresiones y durante 2 años, como mínimo, en las depresiones que se repiten. Algunos médicos aconsejan mantener la medicación de por vida si se tiene la primera depresión después de los 50 años, porque hay un riesgo elevado de que reaparezca.

Tipos de antidepresivos

Hay muchos antidepresivos disponibles. Todos funcionan bien, pero algunos son mejores para un determinado tipo de depresión.

Antidepresivos tricíclicos

Se llaman tricíclicos por su estructura química y los hay de muchos tipos. Aumentan la cantidad de neurotransmisor del espacio sináptico impidiendo que éste sea reabsorbido por la célula que lo liberó. Son muy eficaces en la depresión moderada y grave, cuando hay problemas de sueño, apetito, agitación o enlentecimiento motor .

Tardan al menos 2 semanas en hacer efecto. Además de mejorar la depresión, algunos de ellos son sedantes, por lo que si usted conduce vehículos o maneja maquinaria peligrosa debe tener cuidado con estos antidepresivos. Hable de este tema con su médico.

Los antidepresivos tricíclicos pueden producir efectos secundarios. No aparecen en todas las personas, pero si usted los tiene, consulte a su médico. Los más frecuentes son: visión borrosa, estreñimiento, dificultades en la erección y eyaculación, retención urinaria, boca seca, taquicardia, sudoración, temblor en las manos, aumento de peso, sedación y sensación de mareo al levantarse. Su administración puede interferir con otras medicinas que usted esté tomando. Por ello, es importante informar a su médico de toda la medicación prescrita y consultarle antes de iniciar otro tratamiento.

Antidepresivos tricíclicos	
Nombre genérico	**Nombre comercial**
Imipramina	Tofranil®
Clomipramina	Anafranil®
Amitriptilina	Tryptizol®
Nortriptilina	Martimil®
Efectos secundarios	
Frecuentes	
Efectos anticolinérgicos (sequedad de boca, midriasis [aumento del tamaño de las pupilas], pérdida de la acomodación ocular, palpitaciones, hipotensión, estreñimiento) aumento de peso, somnolencia, insomnio.	

Ocasionales
Temblor, intranquilidad, reacciones alérgicas, crisis de sudoración, arritmias, episodios maníacos, retención urinaria, hipertermia, transtornos de la función sexual.
Raros
Hipertensión, náuseas, vómitos, diarrea, episodios cardiovasculares graves, agranulocitosis, disartria, neuropatías periféricas, ataxia, mioclonías, cefaleas, galactorrea, ictericia colestásica, fotosensibilidad, crisis convulsivas generalizadas, estados confusionales, nistagmo, hipersalivación, bradicardia, anhidrosis, íleo paralítico, edemas, hipoglucemia,

Una sobredosis de antidepresivos tricíclicos puede tener riesgo vital. Por esta razón, es importante tener solo una pequeña cantidad de pastillas en casa cuando alguien tiene ideas de suicidio.

Inhibidores selectivos de la recaptación de serotonina (ISRSs)

Funcionan de la misma forma que los antidepresivos tricíclicos, impidiendo que la neurona capte el neurotransmisor que ha liberado a la sinapsis. Sin embargo, solo actúan sobre un tipo de neurotransmisor, la serotonina.

Son muy eficaces. Tienen efectos secundarios diferentes a los de los antidepresivos tricíclicos. Por ejemplo, son menos sedantes y no afectan al corazón. Durante los primeros días pueden producir molestias gástricas, diarrea, nauseas, vómitos, dolor de cabeza, inquietud y ansiedad. Son mucho más seguros que los antidepresivos tricíclicos en caso de sobredosis.

En los últimos años diversos libros han hablado sobre un antidepresivo de esta familia, la fluoxetina (Prozac®), que se ha llegado a llamar la «píldora de la felicidad» porque hace más feliz a las personas con depresión leve. Esto ha llevado a un uso indiscriminado de este fármaco. Hay otros medicamentos de la misma familia que son tan eficaces como la fluoxetina.

Se ha dicho también que estos fármacos ocasionan impulsos suicidas u homicidas en algunas personas. Aunque este efecto todavía se está investigando, se recomienda a las personas que puedan tener estos síntomas que consulten a su médico.

Inhibidores Selectivos de la Recaptación de Serotonina	
Nombre genérico	**Nombre comercial**
Fluoxetina	Prozac®, Adofén®, Reneuron®
Paroxetina	Seroxat®, Frosinor®, Motivan®
Fluvoxamina	Dumirox®
Sertralina	Besitran®, Aremis®
Citalopram	Prisdal®, Seropram®
Escitalopram	Esertia®, Cipralex®
Efectos secundarios	
Frecuentes Molestias gástricas, diarrea, náuseas, vómitos, dolor de cabeza, inquietud y ansiedad	

Inhibidores de la Monoaminooxidasa (IMAOs)
Suelen ser eficaces en personas que no responden a otros antidepresivos o que tienen «depresiones atípicas» con mucha ansiedad, irritabilidad, hipocondría (se imaginan tener una enfermedad física), o que pasan mucho tiempo durmiendo. Estos fármacos aumentan la cantidad de neurotransmisor en la sinapsis impidiendo su eliminación por una sustancia llamada monoaminooxidasa, es decir, inhiben la acción de esta sustancia.

Lamentablemente esta acción no sucede únicamente a nivel cerebral sino también en el resto del cuerpo, donde la monoaminooxidasa tiene muchas funciones. Una de ellas es metabolizar una sustancia llamada tiramina que se encuentra en muchos alimentos. En los pacientes que toman este tipo de antidepresivo, la monoaminooxidasa no puede metabolizar la tiramina. Si se siguen tomando alimentos con tiramina, se produce un exceso de ésta, lo que ocasiona un aumento de la presión arterial y dolor de cabeza. Por esta razón, las personas que toman este tipo de antidepresivos deben mantener una dieta pobre en tiramina.

Después de dejar de tomar este tipo de fármacos, nuestro cuerpo tarda unas 2 semanas en recuperar los niveles normales de monoaminooxidasa. Durante todo este tiempo hay que mantener la dieta y no se puede tomar ningún antidepresivo de ningún grupo

Existe un tipo de IMAO llamado inhibidor reversible de la monoaminooxidasa A (IRMA). Hay dos tipos de monoaminooxidasa, el tipo A y el B. Como los IRMA solo inhiben el tipo A, hay menos riesgo en consumir alimentos con tiramina, por lo que la dieta es menos estricta. Por otra parte, los IRMA bloquean la monoaminooxidasa A, pero no la destruyen, por lo que el cuerpo no tiene que crear nueva monoaminooxidasa y los efectos son reversibles y desaparecen un día después de dejar de tomar el fármaco.

- Si usted va a empezar a tomar un antidepresivo de la familia de los Inhibidores de la monoaminooxidasa (IMAOs), el médico le debe proporcionar una lista completa de todos los alimentos prohibidos que debe llevar consigo en todo momento.
- Algunos descongestionantes nasales, utilizados para aliviar los síntomas del resfriado, pueden contener tiramina.

Alimentos prohibidos cuando se está en tratamiento con un IMAO

- Quesos fermentados
- Embutidos
- Plátanos
- Yogures
- Habas
- Conservas (arenques, foiegras)
- Menudillos, higadillos de pollo
- Frutos secos
- Carne de caza
- Chocolate
- Alimentos ahumados
- Higos
- Alimentos escabechados
- Caviar
- Concentrados de carne
- Bebidas alcohólicas (especialmente vino tinto)

Otros antidepresivos

- *Venlafaxina* (Vandral®, Dobupal®). Funciona como un inhibidor de la recaptación de noradrelina y serotonina. Puede producir lesiones cutáneas y aumento de la presión arterial.
- *Reboxetina* (Norebox®). Inhibe selectivamente la recaptación de un neurotransmisor, la noradrenalina.
- *Duloxetina* (Cymbalta®, Xeristar®). Es un antidepre-

sivo que funciona un inhibiendo la recaptación de serotonina y noradrenalina.

- *Mirtazapina* (Rexer®). Actúa bloqueando el receptor de serotonina 5-HT2A y el receptor alfa -2- adrenérgico. Puede ocasionar efectos secundarios de tipo anticolinérgico.
- *Agomelatina*. Antidepresivo con un mecanismo de acción totalmente novedoso. Es un agonista de los receptores melatonérgicos y antagonista de los receptores de serotonina 5-HT2C.
- *Hierba de San Juan* o *«Hypericum perforatum»*. Es un remedio herbal muy popular que se puede comprar sin receta médica. Sin embargo, puede interaccionar con otros fármacos, por lo que es recomendable consultar al médico antes de empezar a tomarlo. La cantidad de fármaco activo varía en las diferentes preparaciones, por lo que es importante tomar siempre la misma preparación.

¿Qué antidepresivo debo tomar?
Existen más de 30 antidepresivos en el mercado. Por lo general, todos los antidepresivos presentan una eficacia y rapidez de acción similar. Sin embargo, estudios científicos muestran que en depresiones leves-moderadas la eficacia de los ISRS, los tricíclicos y otros antidepresivos es similar, mientras que en depresiones graves, los antidepresivos tricíclicos son mejores que los ISRS.

Muchas veces, la elección del antidepresivo depende de si el paciente ha tomado con anterioridad ese antidepresivo y de la respuesta obtenida. También puede depender de la edad del paciente, del tipo de depresión, de la tolerabilidad y seguridad, de los efectos secundarios, de la presencia de una enfermedad física, de las interacciones con otros fármacos y del cumplimiento del tratamiento.

¿Me volveré adicto a los antidepresivos?

Muchas personas creen que se volverán adictos o dependientes de la medicación si la toman durante mucho tiempo, pero esto no es así. Los antidepresivos no crean adicción. Sólo hacen efecto si se está deprimido. Si no se está deprimido no producen euforia. No existe un mercado ilegal de antidepresivos porque no crean adicción ni producen euforia.

Sin embargo, los antidepresivos son fármacos potentes y, en algunas ocasiones, cuando se suspenden bruscamente la persona se siente rara. Esto no es un síntoma de que se es adicto al antidepresivo. Las personas adictas a un fármaco tienen necesidad de tomar ese fármaco. Las personas en tratamiento con un antidepresivo no tienen necesidad de ese antidepresivo cuando dejan de tomarlo. Lo que ocurre que el cuerpo está acostumbrado al fármaco. Una vez recuperados de la depresión, la disminución progresiva de la dosis hará que nuestro cuerpo se acostumbre poco a poco a la desaparición del antidepresivo.

Cambio de un antidepresivo por otro

Si un antidepresivo se toma a la dosis prescrita, y no mejora la depresión después de un período de tiempo razonable, que suele ser de unas 4-6 semanas, es recomendable cambiar a otra clase de antidepresivo. Este cambio debe hacerlo un médico, nunca usted mismo. Algunos antidepresivos no pueden tomarse al mismo tiempo y en otros casos hay que esperar a que se elimine todo el antidepresivo del organismo antes de empezar a tomar el nuevo antidepresivo.

¿Y si he tomado dos antidepresivos y no he mejorado?

Por lo general, la depresión mejora con el primer antidepresivo a las dosis y duración adecuadas. En algunas personas, es necesario cambiar a otro antidepresivo para conseguir una mejoría. En un reducido número de personas el cambio a un segundo antidepresivo tampoco produce mejoría. En estos casos es recomendable:

- Tomar dosis altas del antidepresivo.
- Añadir otra medicación que aumente el efecto del antidepresivo que esté tomando.
- Tomar una combinación de antidepresivos.

Su médico de cabecera puede hacer algunos de estos cambios, pero otros tendrá que hacerlos el psiquiatra.

Efectos secundarios

Los antidepresivos pueden ocasionar efectos secundarios. Estos suelen ser de mayor intensidad al inicio del tratamiento, pero disminuyen a medida que su cuerpo se acostumbra al tratamiento. Los efectos secundarios pueden reducirse aumentando progresivamente la dosis del antidepresivo o cambiando el antidepresivo. La mayoría de los efectos secundarios son menos molestos que los síntomas depresivos y hay que tener en cuenta que si los antidepresivos se toman correctamente la depresión mejorará.

Los distintos antidepresivos tienen diferentes efectos secundarios, que también se manifiestan de forma diferente en las personas. Si no tolera los efectos secundarios de un antidepresivo, puede ser necesario cambiarle de medicación. Sin embargo, no es recomendable cambiar muchas veces de antidepresivo, ya que la medicación solo hace efecto si se toma durante un tiempo prolongado. Los efectos secundarios pueden disminuir cuando se empieza con dosis bajas que se van aumentando progresivamente

Muchas personas pierden el deseo sexual cuando están deprimidas. Este es un síntoma habitual de la depresión.

Sin embargo los antidepresivos también pueden producir disminución del deseo sexual y problemas de eyaculación. Si usted tiene estos problemas es importante que consulte a su médico ya que generalmente se solucionan cambiando el tratamiento.

¿Puedo tomar otros medicamentos al mismo tiempo?

Cualquier médico que pueda recetarle un medicamento (por ejemplo el dentista u otro especialista) tiene que saber qué otros medicamentos está usted tomando. Aunque algunos medicamentos son inocuos cuando se toman solos, si se toman en combinación con otros pueden ocasionar efectos secundarios potencialmente peligrosos.

El alcohol y las drogas (cocaína, heroína, LSD, cannabis) pueden disminuir la efectividad de los antidepresivos, por lo que se deben evitar.

Los sedantes o ansiolíticos, que se dan para disminuir la ansiedad, no son antidepresivos. A veces son recetados junto con los antidepresivos, pero por sí solos no mejoran la depresión.

Nunca se deben combinar medicamentos de ningún tipo sin consultar al médico.

Suspensión de antidepresivos

Los antidepresivos no deben dejarse de tomar sin consultar al médico ya que pueden aparecer síntomas de retirada o discontinuación como mareos, ansiedad y agitación, insomnio, síntomas gripales, diarrea, nauseas, dolor abdominal y cambios del estado de ánimo. Los síntomas de retirada pueden evitarse reduciendo progresivamente la dosis de antidepresivo a lo largo de un mes.

- Los antidepresivos son muy eficaces para mejorar la depresión.
- Los antidepresivos no son adictivos.
- Los antidepresivos funcionan si las dosis son las correctas.
- Es importante un buen cumplimiento de la medicación (no tome más o menos pastillas que las recetadas por el médico).
- Hay muchos antidepresivos disponibles. Todos funcionan bien, pero algunos son mejores para un determinado tipo de depresión.
- Cuando empiece a mejorar, no deje ni disminuya la medicación. Existe riesgo de recaída.
- No suspenda los antidepresivos bruscamente. Deben retirarse de forma progresiva a lo largo de un mes. Consulte a su médico.

Otros tratamientos farmacológicos

Litio

Dentro de los medicamentos que le puede prescribir su médico para la depresión está el litio.

El litio no es un tratamiento habitual para tratar la depresión, pero sí para evitar que aparezca de nuevo en las personas con depresiones de repetición (o recurrentes). En estas personas, el litio disminuye el número de depresiones o hace que éstas sean más cortas o menos graves. También puede darse junto a antidepresivos para aumentar su efecto.

Para que el litio haga efecto debe estar presente en sangre en unas cantidades determinadas. Si hay poco litio en sangre no se consigue ningún efecto, y si hay demasiado pueden aparecer efectos secundarios o tóxicos. Por esta razón, durante el tratamiento con litio, es necesario determinar mediante un análisis de sangre la cantidad de litio que hay en nuestro organismo.

Si usted está en tratamiento con litio, su médico le hará periódicamente un análisis de sangre para determinar la cantidad de litio que tiene usted en la sangre.

Hipnóticos

Muchas personas con depresión duermen mal o pocas horas. Muchas veces, estos problemas de sueño mejoran con el tratamiento antidepresivo, pero en ocasiones, su médico le puede recetar un hipnótico o medicación para dormir. Es importante que usted no tome esta medicación durante mucho tiempo, ya que si lo hace puede resultarle difícil abandonarla.

Ansiolíticos

Ya hemos comentado en el Capítulo 4 que muchos pacientes con depresión tienen también síntomas de ansiedad. Al igual que con los problemas de sueño, muchos síntomas de ansiedad mejoran con el tratamiento antidepresivo, pero si la ansiedad es muy importante, su médico puede recetarle un ansiolítico. Los ansiolíticos más frecuentemente recetados son las benzodiacepinas. Deben tomarse durante un tiempo limitado, ya que existe la posibilidad de que su organismo se acostumbre a ellos (tolerancia) y tenga que aumentar progresivamente la dosis para conseguir la eficacia deseada.

Ventajas de los ansiolíticos

- Alivio de la ansiedad
- Hacen efecto inmediatamente
- Son baratos
- Son bien tolerados por el paciente

Inconvenientes de los ansiolíticos

- No son recomendables en tratamiento prolongado
- No alivian los síntomas de la depresión
- Pueden producir problemas de falta de memoria
- Producen tolerancia
- Tienen potencial de abuso (posibilidad de que el paciente tome dosis mayores de las prescritas por el médico)

Los antidepresivos son muy eficaces para mejorar la depresión, pero siempre deben ser prescritos por un médico

Tratamiento psicológico

El tratamiento psicológico de la depresión es el tratamiento más popular, en parte porque implica no tomar medicación. Sin embargo, las terapias psicológicas son largas y exigen tiempo e implicación por parte del paciente. Si la depresión es grave, es posible que sea necesario mejorar un poco la depresión con tratamiento farmacológico antidepresivo antes de iniciar el tratamiento psicológico.

Hay diferentes terapias psicológicas basadas en distintas teorías. El tipo de terapia dependerá de la orientación del profesional que le atienda.

Terapias breves: de hasta 6 meses. 4-20 sesiones de 1 hora de duración. Tratan el problema actual.

- *Terapia cognitiva*: se centra en los pensamientos depresivos. Se le pedirá que apunte sus pensamientos negativos y que se fije en su forma de pensar. Se le ayudará a valorar si sus pensamientos negativos son realistas o no.

- *Terapia conductual*: se centra en nuestra conducta, no en nuestros pensamientos. En lugar de ayudarle a pensar, le ayuda a actuar. Un programa de modificación conductual intentará ayudarle a dormir, comer y cuidarse mejor.

- *Terapia cognitivo-conductual*: se basa en la interacción entre los pensamientos, el estado de ánimo y la conducta. Se enseña a los pacientes a identificar y modificar los pensamientos y conductas automáticas que aparecen a causa de un estado de ánimo determinado.

- *Terapia interpersonal*: se centra en las relaciones interpersonales y en los problemas de comunicación o de duelo por la muerte de un ser querido.

Se ha sugerido que la terapia cognitivo-conductual y la terapia interpersonal son tan eficaces como el tratamiento antidepresivo en los casos de depresión leve-moderada, y que disminuyen el riesgo de recaída. Además, pueden usarse junto al tratamiento farmacológico antidepresivo.

Terapias prolongadas: más de 50 sesiones semanales o bisemanales. Tratan el problema actual desde el pasado, intentando descubrir por qué se tiene esa personalidad, por qué se es como se es. El psicoanálisis parte de la base de que la depresión está causada por sucesos originados en el pasado y que hemos negado, ignorado o intentado olvidar. El recuerdo de estos sucesos queda en nuestra mente y reaparece en momentos de estrés. Uno de estos sucesos podría ser, por ejemplo, la falta de duelo por la muerte de nuestros padres en la infancia.

Se cree que la psicoterapia ayuda a que los sentimientos escondidos vuelvan a ser conscientes otra vez y gracias a ello dejen de causar problemas. Si usted quiere iniciar esta terapia, es aconsejable que lo comente con su médico de cabecera.

Algunas terapias breves han demostrado buenos resultados en pacientes deprimidos.

La psicoterapia prolongada intenta solucionar los problemas que pueden causar la depresión; por esta razón, es posible que su depresión no mejore a corto plazo.

Otros tratamientos

Privación parcial de sueño

El objetivo de este tratamiento es la supresión de las fases REM del sueño. Consiste en hacer que el paciente se levante entre la 1:30 y las 2:30 horas de la madrugada y se mantenga despierto hasta las 22.00 horas. Esto debe hacerse dos veces por semana. Este tratamiento puede ser efectivo en el 40-60% de los pacientes deprimidos, especialmente en aquellos cuyos síntomas se acentúan por la mañana. Sin embargo, úunicamente es eficaz durante un corto espacio de tiempo y suelen presentarse recaídas al interrumpir el tratamiento. Suele utilizarse conjuntamente con tratamiento farmacológico

Terapia lumínica

El trastorno afectivo estacional se ha relacionado con la falta de luz solar, siendo por ello más frecuente en países nórdicos. La terapia lumínica tiene como objetivo compensar esta falta de luz de forma artificial mediante lámparas especiales (con un espectro de luz específico). Se recomienda este tipo de terapia cuando los trastornos depresivos se presentan durante las estaciones de otoño e invierno o bien cuando se diagnostica un trastorno afectivo estacional, y puede ser utilizada en combinación con antidepresivos.

Terapia electroconvulsiva (TEC)

La terapia electroconvulsiva (TEC) o electroshock es un tratamiento no farmacológico que ha sido ampliamente criticado, principalmente por desconocimiento de su eficacia.

¿En que consiste?

Consiste en administrar una pequeña corriente eléctrica a través del cerebro que causa una pequeña convulsión y una modificación de los neurotransmisores cerebrales. Suele llevarse a cabo en centros hospitalarios, ya que requiere anestesia breve y un relajante muscular. Tras unos minutos, el paciente despierta de la anestesia y puede regresar al domicilio. Es un procedimiento rápido, seguro y con pocos efectos secundarios. La pauta de tratamiento habitual se compone de un total de 6 sesiones a razón de 2-3 sesiones por semana.

¿Tiene efectos secundarios?
En ocasiones, el paciente puede experimentar una ligera confusión, dolor de cabeza o náuseas durante las primeras horas. Uno de los efectos secundarios más frecuentes es la pérdida de memoria, aunque ésta suele ser pasajera y desaparece a las pocas semanas.

¿Es eficaz?
Es el tratamiento más eficaz para las depresiones graves y es de elección en las depresiones con síntomas psicóticos. Produce resultados espectaculares en pacientes que se niegan a comer o a beber y en los pacientes suicidas. Los pacientes empiezan a mostrar mejoría a los pocos días de la sesión. Este tratamiento está también indicado en los ancianos, en pacientes con problemas cardíacos y en embarazadas.

Los síntomas que predicen una respuesta positiva a la TEC son los síntomas melancólicos (sentimiento de culpa, agitación, pérdida de interés, sentimiento de inutilidad, ideas delirantes) y la elevada ansiedad. No existe ninguna contraindicación absoluta a la administración de TEC.

Indicaciones de la TEC

- Paciente suicida.
- Paciente con riesgo vital (negativa a ingerir líquido o alimento).
- Depresión psicótica.
- Falta de respuesta clínica a los medicamentos antidepresivos.
- Intolerancia al tratamiento farmacológico.
- Respuesta previa a la TEC.

Estimulación magnetica transcraneal

Ésta es una nueva técnica que podría ser muy útil para el tratamiento de la depresión. Sin embargo, todavía se encuentra en fase experimental. Consiste en crear un campo magnético en la cabeza del paciente que provoca la eliminación de la alteración de las células cerebrales.

¿Es necesario el ingreso hospitalario?

En ocasiones, es necesario ingresar al paciente en una unidad especializada. La hospitalización es una manera de proteger la integridad física del paciente y evitar complicaciones mayores que podrían poner en peligro al propio paciente y a su entorno. Es necesaria la hospitalización cuando:

- Existe un riesgo elevado de suicidio.
- El paciente se niega a ingerir líquidos o alimentos.
- El paciente presenta síntomas psicóticos que requieren un tratamiento más específico.
- Presencia de enfermedades médicas que compliquen el tratamiento
- Falta de respuesta al tratamiento ambulatorio

En caso de que el paciente no quiera ingresar de forma voluntaria, el psiquiatra puede indicar a un juez la necesidad de un ingreso y éste autorizarlo. La duración de los ingresos suele ser de 3-4 semanas.

Puntos clave:

- El tratamiento de la depresión tiene tres objetivos:
  1) alivio de los síntomas agudos
  2) reestablecer el funcionamiento habitual de la persona y
  3) alcanzar la recuperación total y evitar recaídas o recurrencias.
- Dentro del tratamiento de la depresión hay que destacar el tratamiento farmacológico, el tratamiento psicológico y otros tratamientos.
- Su médico le informará sobre cual es el mejor tratamiento para usted

12. La depresión en poblaciones específicas

La depresión en la mujer

La depresión asociada al ciclo menstrual

Los niveles de estrógenos y progesterona varían durante el ciclo menstrual. La producción de progesterona alcanza sus niveles máximos 10 días antes de la menstruación y luego disminuye. Esta variación en los niveles de progesterona parece ser una de las causas del **trastorno disfórico premenstrual**, una alteración del ánimo que empieza unos días antes de la menstruación y finaliza con ésta. Algunos de los síntomas del trastorno disfórico premenstrual son distensión y molestias abdominales, hipersensibilidad de las mamas, irritabilidad, ansiedad y tristeza. Algunos de los tratamientos utilizados han sido antidepresivos, especialmente los inhibidores de la recaptación de serotonina, tratamientos hormonales y diuréticos.

La depresión asociada al parto

> *«Después de dar a luz a mi bebé, pensé que estaría feliz, pero me sentía cada vez peor. Estaba muy triste y me sentía culpable de no poder disfrutar de mi bebé. Tenía dolores de cabeza terribles que duraban horas. Lloraba por nada, y lo único que quería era dormir todo el día.»*

Algunas mujeres tienen una depresión después del nacimiento de un bebé. Es lo que se llama «**depresión postparto**». Afecta hasta un 13% de las mujeres tras el parto y hasta un 26% si se trata de madres adolescentes. Las manifestaciones clínicas son las de una depresión clásica y su duración media es de 2 a 6 meses, aunque puede reaparecer (en un 30-41% de los casos reaparece en el siguiente embarazo) y cronificarse.

Además de coincidir con el período de la lactancia, la depresión posparto puede, en algunos casos, afectar al desarrollo cognitivo, emocional y social del niño y la relación con la pareja. Los factores de riesgo sobre los que hay más acuerdo son la existencia de antecedentes de depresión mayor (incluida la depresión durante el embarazo), antecedentes de alteración del estado de ánimo durante el ciclo menstrual (trastorno disfórico premenstrual), el estrés psicosocial y el insuficiente apoyo social. No hay pruebas directas de que las alteraciones hormonales causen la depresión posparto, aunque es probable que los cambios hormonales acaben ocasionando una depresión en mujeres con mayor vulnerabilidad genética, estrés ambiental o apoyo social insuficiente.

En casos de depresión grave, la mujer puede perder contacto con la realidad y presentar delirios y alucinaciones. Ésta es una situación de alto riesgo para el bebé ya que la madre puede considerar que el mundo es tan malo que tiene que acabar con el sufrimiento de su bebé. En muchos de estos casos puede ser aconsejable el ingreso hospitalario para evitar que la madre se haga daño a sí misma o a otras personas.

Los antidepresivos son los fármacos de elección para tratar la depresión posparto. La selección del antidepresivo puede estar condicionada por el antecedente de respuesta a uno en concreto y por la coincidencia de la depresión con la lactancia materna. Todos los antidepresivos se excretan en cierta medida a través de la leche materna y, por tanto, es necesario un seguimiento adecuado del lactante y ajustar cuidadosamente las dosis.

Si la depresión es muy grave, algunos médicos aconsejan la terapia electroconvulsiva, ya que la mejoría de la depresión es muy rápida y se evita la administración de antidepresivos. Entre los tratamientos no farmacológicos, se han mostrado eficaces la psicoterapia interpersonal, cognitivo-conductual y otras formas de apoyo emocional en la depresión leve y moderada.

La depresión asociada a la menopausia

Con frecuencia las mujeres presentan una depresión alrededor de los 50 años, coincidiendo con la menopausia, posiblemente causada por una disminución de la cantidad de hormonas. Otros factores que también pueden influir en la aparición de la depresión en esta fase de la vida son la emancipación de los hijos, los cambios en la relación de pareja, o la enfermedad o muerte de los padres ancianos. El tratamiento se realiza con antidepresivos o con hormonas (terapia hormonal sustitutiva).

La depresión en los ancianos

No es normal que los ancianos se depriman; por el contrario, la mayoría de las personas de edad se sienten satisfechas con sus vidas. La depresión en los ancianos, si no se diagnostica ni se trata, causa un sufrimiento innecesario al anciano y su familia.

Frecuentemente, los ancianos con depresión sólo indican al médico la presencia de síntomas físicos, ya que les cuesta hablar de aspectos emocionales, como la falta de interés en actividades normalmente placenteras o de su pena y tristeza después de la muerte de un ser querido. La depresión en el anciano es con mucha frecuencia secundaria a otros medicamentos que el anciano esté tomando, o bien debida a una enfermedad física. Las depresiones en los ancianos son cada vez más identificadas y tratadas por los profesionales de salud mental.

El tratamiento con medicamentos o con psicoterapia ayuda a que la persona deprimida recupere su capacidad para tener una vida feliz y satisfactoria. Estudios recientes han demostrado que la psicoterapia breve es efectiva para disminuir a corto plazo los síntomas de depresión en personas mayores. La psicoterapia también es útil cuando los pacientes ancianos no pueden o no quieren tomar medicamentos.

La depresión en los niños y adolescentes

Últimamente, María se ha estado sintiendo extraña. Sus amigas también lo han notado. Claudia se sorprendió cuando María rechazó su invitación a ir de compras el sábado pasado («siempre le ha gustado ir de compras»). En realidad, no había razón para no ir, pero María simplemente no tenía ganas. En lugar de ir, pasó gran parte del sábado durmiendo.

Pero quedarse en su casa más de lo habitual no es el único cambio en María. Siempre fue muy buena estudiante, pero en los últimos meses sus notas han bajado de manera notoria y tiene problemas para concentrarse. Incluso ha suspendido algunos exámenes y aún no ha entregado un ejercicio que debía entregar la semana pasada.

Cuando llega la hora de cenar, no tiene hambre. Si bien hace el esfuerzo de comer un poco con su familia, no tiene demasiado apetito (y nada parece tener el sabor de antes). Después de la cena, María se va a su habitación, hace algunas tareas y se acuesta. Ni siquiera tiene ánimo para hablar por teléfono con sus amigas.

Cuando su madre le pregunta qué le pasa, María siente ganas de llorar pero no sabe por qué. Todo parece estar mal, aunque no ha ocurrido nada malo en particular. María simplemente se siente triste todo el tiempo y no se puede liberar de ese sentimiento.

La depresión en los niños se empezó a reconocer hace tan sólo dos décadas. Uno de cada 33 niños y uno de cada 8 adolescentes sufren depresión. La depresión en los niños o en los adolescentes no está causada por errores de los padres en la educación de sus hijos, sino que puede ser debida a factores genéticos, bioquímicos u otros factores.

El niño deprimido puede simular estar enfermo, rehusar ir a la escuela, no querer separarse de los padres o tener miedo a que uno de los padres se muera. También puede estar de mal humor, tener problemas con sus compañeros de escuela, hacer travesuras o sentirse incomprendido. A veces el niño tiene un cambio de comportamiento o su profesor comenta que «no parece el mismo».

Dado que los comportamientos considerados como «normales» pueden variar de una etapa de la niñez a otra, puede ser difícil establecer si un niño está simplemente pasando por una fase de su desarrollo o si está padeciendo una depresión. De todas formas, ante la sospecha, y después de descartar problemas físicos, el pediatra puede sugerir que el niño sea evaluado, preferiblemente por un psiquiatra especializado en niños.

Los padres no deben tener miedo de hacer preguntas: ¿Qué tipo de tratamiento se va a realizar? o en caso de tratamiento farmacológico (antidepresivos), ¿cuales son los efectos secundarios?

- La depresión en los niños puede ser difícil de diagnosticar.
- La depresión en los niños se trata de forma eficaz con antidepresivos y/o psicoterapia.
- El diagnóstico y tratamiento precoz de la depresión en niños o adolescentes puede disminuir el número de futuros episodios depresivos.

Un niño deprimido normalmente no quiere participar en juegos

La depresión en los inmigrantes

En la actualidad existen muchas personas que abandonan sus países buscando mejores condiciones de vida. Este proceso produce mucho estrés. Por una parte, es necesario adaptarse rápidamente a una cultura, estilo de vida e idioma diferentes, y por otra, hay que superar la tristeza que produce la separación de la familia y amigos. Al sufrimiento psicológico que conlleva una migración se le llama «duelo migratorio», y es un factor de riesgo para la aparición de un trastorno mental. Diversos expertos han indicado que hasta el 6,5% de los inmigrantes tienen un trastorno mental debido al duelo migratorio, y dentro de los trastornos mentales, los síntomas depresivos son los que aparecen con mayor frecuencia.

Puntos clave:

Mujeres

- Las mujeres tienen dos veces más depresiones que los hombres.
- Esta mayor frecuencia de depresión puede estar relacionada con cambios hormonales.
- Por esta razón, durante el ciclo menstrual, el postparto y la menopausia las mujeres con

mayor predisposición tienen más depresiones.

Ancianos

- No es normal que las personas mayores estén deprimidas
- La depresión en la tercera edad puede tratarse de forma efectiva con medicamentos y/o psicoterapia.
- Es importante que indique a su médico toda la medicación que está tomando para evitar que haya incompatibilidades con el tratamiento farmacológico antidepresivo.

Niños y adolescentes

- La depresión en los niños puede ser difícil de diagnosticar.
- La depresión en los niños se trata de forma eficaz con antidepresivos y/o psicoterapia.
- El diagnóstico y tratamiento precoz de la depresión en niños o adolescentes puede disminuir el número de futuros episodios depresivos.

13. Depresión en la red

¿Puedo informarme en Internet?

En Internet existen múltiples páginas *web* tanto en español como en inglés que le pueden ser de utilidad para informarse sobre algún aspecto de la depresión. Sin embargo, estas páginas no suelen haber sido revisadas por ningún especialista ni autoridad competente, por lo que la información que usted puede obtener no es siempre la adecuada.

Por este motivo creemos que lo más aconsejable es que consulte y confíe en su médico.

A continuación encontrará la dirección de algunas páginas *web* de depresión:

- http://www.familymanagement.com/facts/spanish/apuntes04.htlm
  Página que incluye información sobre la depresión en los niños, las causas de la misma y algunos consejos a los padres de estos niños.

- http://www.nimh.nih.gov/health/publications/spanish/depresion-lo-que-toda-mujer-debe-saber/summary.shtml
  Esta página informa sobre algunas características de la depresión en la mujer.
- http://www.depresion.org
  Página de información general sobre la depresión. Incluye foro de interesados y/o afectados.
- http://www.feafes.com
  Es la página web de la Asociación de Familiares de Enfermos Mentales de España.
- http://www.alianzadepresion.com
  Página de una asociación de autoayuda para la depresión en la que organizan y facilitan grupos de autoayuda.
- http://www.superarladepresion.com
  Página de autoayuda que incluye recomendaciones sencillas.
- http://www.saludalia.com/docs/Salud/web_saludalia/temas_de_salud/doc/psiquiatria/doc/doc_diagnostico_depresion_1.htm
  Página de información general sobre los tipos de depresión, los síntomas y el diagnóstico

Anexo

Test de depresión de Goldberg. Autotest para saber si se esta deprimido

A través de este test, usted puede comprobar si presenta o no síntomas de depresión. Además, puede utilizar esta escala para medir sus progresos en caso de seguir un tratamiento médico o una terapia. Una variación en las respuestas puede ser un síntoma tanto de mejora como de empeoramiento. Al responder a las preguntas, debe tener en cuenta cuál ha sido su estado de ánimo durante los últimos siete días y elegir la casilla que mejor se ajuste a su estado de ánimo durante ese tiempo.

Por favor, tenga en cuenta que el resultado de este test no constituye un diagnóstico definitivo, el cual sólo puede ser emitido por un profesional. Cualquiera que sea el resultado del mismo, si usted cree que puede estar sufriendo una depresión debe consultar a su médico lo antes posible.

	Puntuación
1. Suelo hacer las cosas con lentitud	
2. Veo un futuro con poca esperanza	
3. Me cuesta mantener la concentración en la lectura	
4. El placer y la alegría parecen haber desaparecido de mi vida	
5. Me cuesta tomar decisiones	
6. He perdido interés por las cosas de la vida que antes solían ser importantes para mí	
7. Me siento triste, abatido y desgraciado	
8. Estoy agitado y en constante movimiento	
9. Me siento fatigado	
10. Debo hacer un gran esfuerzo incluso para las cosas más sencillas	
11. Me siento culpable y merezco ser castigado	
12. Me siento fracasado	
13. Me siento apagado. Más muerto que vivo	
14. Mi sueño está perturbado. Duermo poco, demasiado o irregularmente	
15. Tengo pensamientos acerca de cómo podría acabar con mi vida	
16. Me siento atrapado o sin salida	
17. Me siento deprimido incluso cuando me suceden cosas buenas	
18. He perdido o ganado peso sin haber seguido una dieta	
Suma de puntos	

Puntúe cada uno de los aspectos anteriores según la siguiente escala y sume los puntos:

En absoluto . . . . 0 puntos
Un poco . . . . 1 punto
En ocasiones . . . . . . 2 puntos
De forma moderada . . 3 puntos
Bastante . . . . 4 puntos
Mucho. . . . . 5 puntos

Interpretación de la puntuación total obtenida:

0 - 9 puntos = No hay depresión
18 - 21 puntos = Depresión suave
22 - 35 puntos = Depresión suave-moderada
36 - 53 puntos = Depresión moderada
54 o más puntos = Depresión grave